HUBERT

CAITRÍONA HASTINGS

SHEENA DEMPSEY
a mhaisigh

AN GÚM
Baile Átha Cliath

© Foras na Gaeilge, 2014

Caitríona Hastings a scríobh

Obair ealaíne: Sheena Dempsey

Dearadh agus leagan amach: An Gúm

ISBN 978-1-85791-893-9

Turner's Printing Co. Teo. a chlóbhuail in Éirinn

Le fáil ar an bpost uathu seo:

An Siopa Leabhar,	*nó*	An Ceathrú Póilí,
6 Sráid Fhearchair,		Cultúrlann Mac Adam-Ó Fiaich,
Baile Átha Cliath 2.		216 Bóthar na bhFál,
siopa@cnag.ie		Béal Feirste BT12 6AH.
		leabhair@an4poili.com

Orduithe ó leabhardhíoltóirí chuig:

Áis,
31 Sráid na bhFíníní,
Baile Átha Cliath 2.
ais@forasnagaeilge.ie

An Gúm, 24-27 Sráid Fhreidric Thuaidh, Baile Átha Cliath 1.

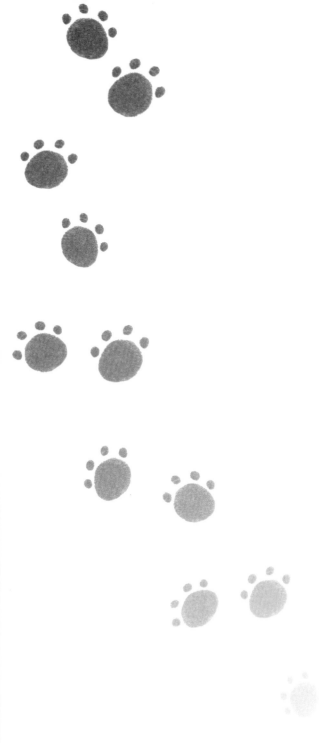

Ní raibh a fhios ag Gearaí cad é a bhí cearr leis nuair a mhúscail sé ar maidin. Chaith sé de an duivé agus léim sé as an leaba. Bhí spotaí móra dearga gach uile áit ar a chorp ó bharr a chinn go bun a choise. Bhí fonn millteanach tochais air.

'A Mham!' a scairt sé.

Chuir Mam a ceann isteach sa seomra go codlatach. Baineadh siar aisti nuair a chonaic sí Gearaí agus é breac le spotaí.

'Ááá, Gearaí bocht!' a dúirt sí. 'Tá an deilgneach ort.'

'An gcaithfidh mé dul chun na scoile inniu, a Mham?' a d'fhiafraigh sé.

'Ní chaithfidh, a leanbh,' arsa Mam. 'Ní bheidh tú ag dul ar scoil anois go dtiocfaidh biseach ort.'

Tháinig meangadh gáire ó chluas go cluas ar Ghearaí. Scoil ar bith! Obair bhaile ar bith!

Chóirigh Mam leaba dó ar an tolg sa seomra suí. Is é a bhí sásta. Thiocfadh leis luí ansin ar a sháimhín só an lá ar fad ag imirt cluichí ríomhaire, ag léamh leabhar agus ag amharc ar an teilifís.

'Níor ghlan mé mo chuid fiacla

go fiú,' arsa Gearaí leis féin agus ríméad air.

Níorbh fhada gur éirigh sé tuirseach de bheith ina luí ar an tolg.

'A Mham!' a scairt sé thart faoi leathuair tar éis a deich.

Tháinig Mam go doras an tseomra.

'Cad é atá ort, a chroí?'

'An dtig le Samaí agus Seoirse teacht isteach ag súgradh liom ar a mbealach abhaile ón scoil?'

Col ceathracha leis a bhí i Samaí agus Seoirse agus bhí siad ina gcónaí ar an chéad sráid eile.

'Ó, ní thig!' a d'fhreagair Mam. 'Ar eagla go dtógfadh siad na spotaí uait!'

'Ach, a Mham,' a dúirt sé, 'níl mé ag mothú tinn.'

Rinne Mam gáire.

'Beidh tú i gceart arís i gceann

cúig lá.' Thug sí gloine líomanáide dó agus d'imigh sí amach as an seomra arís.

Cúpla a bhí i Samaí agus Seoirse agus bhí an-spleodar ag baint leo. Cé go raibh siad dhá bhliain níos sine ná Gearaí bhíodh an triúr gasúr ag súgradh le chéile i ndiaidh na scoile. Ní raibh aon deartháireacha ná deirfiúracha ag Gearaí agus bhíodh uaigneas air nuair a d'imíodh an bheirt eile abhaile san oíche.

Luigh Gearaí siar ar an tolg arís. Ní raibh aon fhonn air tosú ar chluiche ríomhaire eile anois.

'Cúig lá mar seo,' a dúirt sé leis féin, 'agus mé dubh dóite den deilgneach cheana féin!'

D'imigh an lá thart go han-fhadálach. Bhí sé díreach ar tí leabhar a tharraingt chuige féin nuair a chuala sé trup ag bun an toilg. D'amharc sé síos.

Bhí tarbhmhadadh beag bán ann ag amharc aníos air.

'Heileo,' arsa an tarbhmhadadh. 'Tá cuma saghas aisteach ortsa! Rud beag breac mura miste leat mé á rá ... Cad é atá ort?'

'An deilgneach,' a d'fhreagair Gearaí go gruama.

'Ach cé thusa?' a d'fhiafraigh sé ansin agus iontas ina ghlór.

'Mise Hubert!' a dúirt an madadh.

'Ó!' arsa Gearaí.

Tháinig an madadh rud beag níos gaire dó agus shín Gearaí amach a lámh chun é a shlíocadh. Luigh Hubert síos in aice leis an tolg.

Tháinig máthair Ghearaí isteach sa seomra agus babhla anraith aici.

'An bhfuil tú ceart go leor, a thaisce?' a d'fhiafraigh sí agus í ag amharc thart. 'Shíl mé gur chuala

mé thú ag caint le duine éigin ...?'

Chaoch Hubert súil ar Ghearaí.

'Tá mé go breá, a Mham,' arsa Gearaí. 'Níl aon duine anseo ach mé féin.'

Bhlais sé den anraith agus rinne meangadh léi.

'Mmm ... galánta!' a dúirt sé.

'Ól siar é sula bhfuaraíonn sé,' arsa Mam. 'Déanfaidh sé maitheas duit!'

Ní dúirt Mam rud ar bith faoi Hubert in aon chor. Thuig Gearaí nach bhfaca sí an madadh, cé go raibh sé fós ina luí ansin in aice an toilg. An-aisteach ar fad!

D'fhan Hubert in éineacht le Gearaí a fhad is a bhí an deilgneach air agus níor bhraith Gearaí an t-am ag imeacht.

Tháinig maidin Dé Luain arís sa deireadh agus is ar Ghearaí a bhí an t-áthas nuair a shiúil Hubert chun na scoile in éineacht leis.

'Fanfaidh mé anseo leat!' a dúirt an madadh ag geata na scoile.

Tháinig Gearaí amach arís ar a trí a chlog nuair a bhí an scoil thart. Thosaigh Hubert ag tafann le háthas agus ag rith mórthimpeall air.

Ní raibh tuairim ag na páistí eile cad é a bhí ar siúl ag Gearaí. Shíl siad go raibh sé ag caint agus ag gáire leis féin an bealach ar fad abhaile ón scoil.

'An bhfuil seisean ag dul craiceáilte?' a d'fhiafraigh a chairde nuair a bhí sé ar shiúl. Ar ndóigh, ní raibh aon duine acu in ann Hubert a fheiceáil.

Nuair a tháinig Gearaí agus Hubert abhaile ón scoil chuaigh siad díreach amach sa ghairdín ag imirt peile. Hubert a bhí sa chúl. Rith sé suas síos ag tafann mar a bheadh rud mire ann. Scóráil Gearaí cúl.

'Cén áit a bhfuil do chuid spéaclaí, a Hubert?!' arsa Gearaí agus é ag gáire.

Lig Hubert gnúsacht as.

Gach oíche ag am luí, ritheadh Hubert isteach i seomra Ghearaí agus luíodh sé síos ag bun na leapa aige.

D'fhanadh Gearaí go dtí go múchfadh a Dhaid an solas.

'Oíche mhaith, a Hubert!' a deireadh sé go codlatach ansin.

'Abh, abh!' a deireadh Hubert go sona sásta.

Ligeadh Hubert cúpla 'abh abh' meidhreach as ar maidin nuair a mhúsclaíodh Gearaí arís. Luíodh sé ar an urlár agus a bholg in airde.

'Maidin mhaith, a mhadaidh!' a deireadh Gearaí. Léimeadh sé amach as an leaba ansin agus dhéanadh sé bolg Hubert a chuimilt.

Ach ní raibh a fhios ag Gearaí gur Hubert a mhúsclaíodh i dtosach báire gach maidin. Shuíodh sé ansin, gan gíog ná míog as, ag amharc ar aghaidh Ghearaí go dtí go n-osclaíodh seisean a chuid súl.

Maidin Shathairn amháin, tamall i ndiaidh na Nollag, d'oscail Gearaí na cuirtíní agus chonaic sé go raibh brat trom sneachta ina luí ar an talamh.

'Amharc, a Hubert!' ar seisean, agus gliondar air. 'Beidh spórt ar dóigh againne inniu.'

D'alp Gearaí siar an bricfeasta chomh gasta agus a thiocfadh leis. Ansin chuir sé air a chóta, a hata agus a chuid buataisí agus amach leis féin agus Hubert sa ghairdín de rith.

Thosaigh Gearaí ag caitheamh liathróidí móra boga sneachta le Hubert. Ansin, rinne sé fear

sneachta beag ramhar. Rith Hubert siar, chrom sé a cheann agus chaith é féin caol díreach isteach san fhear sneachta, ag iarraidh é a leagan.

'Tá do cheann plúchta le sneachta. Madadh sneachta atá ionat anois, a Hubert!'

Bhí Gearaí ag titim thart ag gáire.

Ní raibh a fhios ag a thuismitheoirí a dhath faoi Hubert ar ndóigh.

'Amharc ar Ghearaí s'againne amuigh ansin ag súgradh leis féin sa sneachta!' a dúirt Mam agus í ag amharc amach air ó fhuinneog na cistine.

'Tá sé chomh sásta le muc sa láib!' arsa Daid. Tharraing sé a chathaoir níos gaire don tine.

'Is maith an rud é nach bhfuil sé ag dréim go rachaidh mise amach ansin leis ag spraoi - tá cuma an-fhuar air!'

An samhradh ina dhiaidh sin, bhí Gearaí le bheith ag dul ag campáil leis na gasóga. Ní raibh sé riamh as baile gan a thuismitheoirí a bheith leis agus bhí sé ag tnúth go mór leis an turas.

An lá sula raibh sé le himeacht thosaigh Gearaí ag cur gach rud isteach ina mhála droma. Ní raibh mórán spáis fágtha faoin am a bhí a mhála codlata, a chuid éadaí agus a chóta báistí curtha isteach sa mhála aige.

Ansin chuimhnigh sé ar an tóirse agus ar na cadhnraí breise. Níor mhaith leis nach mbeadh solas aige sa phuball agus dorchadas na hóiche ann.

Nuair a bhí an mála pacáilte aige thosaigh Gearaí ag éirí rud beag neirbhíseach.

Thug a mháthair faoi deara go raibh Gearaí an-chiúin an oíche sin.

'Cad é atá ort, a thaisce?' a d'fhiafraigh sí.

'Tá eagla orm nach mbeidh mé in ann codladh agus mé ag campáil,' a dúirt sé.

'Seafóid!' a dúirt Mam agus rinne sí gáire beag éadrom. 'Beidh am ar dóigh agat. Ná bí buartha!'

Chuaigh Gearaí a luí an oíche sin ach ní raibh sé ábalta dul a chodladh. Chas sé thart timpeall arís agus arís eile sa leaba. Chuir Hubert a dhá lapa tosaigh ar an leaba in aice lena cheann.

'Cad é atá ort?'

'An campa leis na gasóga ... ní raibh mé riamh as baile liom féin.' arsa Gearaí.

Léim an madadh suas ar an leaba taobh leis.

'Ach ní bheidh tú leat féin! Nach mbeidh mise leat!'

Rinne Gearaí meangadh mór agus luigh sé siar arís. Dhá shoicind ina dhiaidh sin bhí sé ina chnap codlata.

Maidin lá arna mhárach d'imigh Gearaí ar an mbus leis na gasóga. Is é a bhí sona sásta nuair a rith Hubert isteach faoin suíochán ag na cosa s'aige.

Nuair a tháinig am luí an oíche sin, shoiprigh Hubert isteach in aice le Gearaí sa phuball. Bhí an ceannaire taobh amuigh ag siúl idir na pubaill.

'Oíche mhaith agaibh! Socraígí síos agus gabhaigí a chodladh anois!'

'Abh abh!' a dúirt Hubert go séimh.

'Oíche mhaith, a Hubert,' arsa Gearaí de chogar.

Mhothaigh sé teas chorp Hubert in aice leis. Thit sé ina chodladh láithreach agus chaith sé an oíche ag brionglóideach faoi ispíní, faoi

thinte cnámh agus faoi bheith ag súgradh ar an trá.

Ní raibh Gearaí ábalta fanacht ina luí maidin lá arna mhárach. Bhí na gasóga eile ag éirí fosta nuair a tháinig sé amach as an phuball. Bhí siad uilig ag caint ag an aon am amháin faoi na rudaí a bheadh ar siúl acu an lá sin.

'Cultacha snámha, a bhuachaillí!' a scairt an ceannaire i ndiaidh an bhricfeasta. 'Táimid ag dul ag snorcláil inniu!'

Rith na gasóga eile isteach sna pubaill chun a gcultacha snámha a chur orthu, ach d'amharc Gearaí ar Hubert go hamhrasach.

'Níl mé róchinnte faoin snorcláil, ach cuirfidh mé an chulaith snámha orm cibé!'

'Craic mhaith a bheas ann,' arsa Hubert. 'Fan go bhfeicfidh tú.'

Nuair a chuaigh siad síos ar an trá thosaigh na gasóga eile ar fad ag léim isteach san uisce. Fad is a bhí na gasóga san uisce, sheas Hubert ar an trá ag tafann. Ach bhí Gearaí rud beag in amhras fós.

'Ná bí buartha, fanfaidh mise anseo ar an trá,' arsa Hubert leis.

Isteach le Gearaí san uisce giota ar ghiota agus chuir sé a aghaidh

san uisce go faichilleach. Níor
luaithe a chuir sé a chloigeann faoin
uisce ná go bhfaca sé portán ag dul
i bhfolach taobh thiar de chloch.
D'imigh Gearaí thart ag iarraidh
amharc eile a fháil ar an phortán.

'Tá sé seo ar dóigh!' arsa Gearaí
leis féin.

Cad é a chonaic sé ansin ach crosóg
mhara agus ansin bundún leice. Ní

fada go raibh dearmad déanta aige ar an imní a bhí air. Thosaigh sé ag snámh thart go sona sásta.

An chéad rud eile, bhí an ceannaire ag scairteadh ar na gasóga arís.

'Am lóin, a bhuachaillí!' Bhí sé a dó dhéag a chlog cheana féin. 'Amach libh agus déanaigí sibh féin a thriomú.'

'Ba chóir dúinn snorcal madaidh a fháil duitse, a Hubert,' a dúirt Gearaí os íseal agus é á thriomú féin sa phuball ar ball. Ní raibh mórán fonn snorclála ar Hubert ach chroith sé a ruball agus lig 'abh' as.

Ní raibh imní ar bith ar Ghearaí ar feadh an chuid eile den champa. Bhí spórt ar dóigh aige leis na gasóga eile ag spraoi amuigh faoin aer gach lá. Agus bhí a fhios aige go mbeadh a chara Hubert in éineacht leis sa phuball gach oíche.

San fhómhar, nuair a bhí Gearaí deich mbliana d'aois, d'eagraigh Mam cóisir lá breithe dó.

'Bhéarfaidh mé cuireadh do Shamaí agus do Sheoirse,' a dúirt sí. 'Ar mhaith leat cuireadh a thabhairt do dhuine ar bith ar an scoil?'

'A Mham,' ar seisean, 'tá gasúr úr ar an scoil, Bilí an t-ainm atá air. An dtig linn cuireadh a thabhairt dósan?'

Bhí Gearaí i ndiaidh labhairt le Bilí den chéad uair an lá roimhe sin. Bhí Bilí agus a thuismitheoirí tar éis bogadh isteach i dteach ag bun shráid Ghearaí.

Thosaigh an chóisir ar a trí

a chlog. Tháinig cúpla gasúr eile a bhí in aon rang le Gearaí ar dtús. Nuair a tháinig Bilí bhí sé rud beag cúthail.

'Seo linn, a Bhilí,' arsa Gearaí leis.

'Tá preabchaisleán sa ghairdín!'

Thosaigh an siamsa i gceart ansin. Chuaigh gach duine ag pocléim agus ag gleacaíocht sa phreabchaiscleán go raibh siad lag ag gáire.

'Cad é a dhéanfaimid anois?' a d'fhiafraigh Gearaí.

'Cad é faoi chluiche peile a imirt!' a scairt cúpla duine.

D'imir siad peil ansin agus níorbh fhada go raibh siad stiúgtha leis an ocras.

'Tá an bia réidh!' a scairt Daid.

Bhí lód mór burgar agus ispíní déanta aige ar an bheárbaiciú. D'ith siad uilig leo go raibh siad lán go béal.

Tháinig Mam amach as an teach ansin agus pláta mór ina lámha aici. Bhí cáca mór ar an phláta a bhí bácáilte go speisialta aici.

'Anois, a Ghearaí!' arsa Mam,

agus leag sí an cáca os a chomhair, 'Tá sé in am na coinnle a shéideadh amach!'

'Arú, a Mham!' a dúirt Gearaí agus é ag amharc i leataobh ar a chuid cairde. Ach shéid sé amach na deich gcoinneal a bhí ar an cháca.

I ndiaidh do gach duine slisín mór den cháca a ithe bhí siad réidh le pléascadh agus bhí sé in am acu dul abhaile.

'Go raibh maith agat!' arsa Bilí le Gearaí nuair a bhí siad ag an doras. 'Bhí an chóisir sin go hiontach. Bhí am ar dóigh agam!'

'Ar mhaith leat teacht ar cuairt amárach?' a d'fhiafraigh Gearaí.

'Ó, ba mhaith!' a dúirt Bilí.

Maidin lá arna mhárach, bhí cnag ar an doras. Bilí a bhí ann.

'Tá liathróid nua agam, ba mhaith liom triail a bhaint aisti,' arsa Bilí. 'An rachaimid amach ar an tsráid?'

Chuaigh siad amach ag imirt peile.

Nuair a d'éirigh siad tuirseach, d'imigh siad go teach Bhilí chun cluiche ríomhaire a imirt. Faoin am ar tháinig Gearaí abhaile tráthnóna, bhí sé ag smaoineamh cheana féin ar na rudaí a dhéanfadh sé féin agus Bilí an lá dar gcionn.

As sin amach, tráthnóna deas ar bith, bhíodh Gearaí agus Bilí amuigh ag imirt peile ar an tsráid. Dá mbeadh an lá fliuch, d'imreoidís cluichí ríomhaire taobh istigh, nó rachaidís ag snámh san ionad spóirt.

Ó am go chéile, thógadh duine dá dtuisthmitheoirí chuig an phictiúrlann iad ar an Satharn. Deireadh seachtaine saoire bainc, bhíodh cead acu codladh thar oíche i dtithe a chéile.

Ní thagadh Samaí agus Seoirse ar cuairt chuig Gearaí chomh minic na laethanta seo. Bhí siadsan tar éis an bhunscoil a fhágáil an samhradh sin agus bhí siad ag dul ar an 'scoil mhór' anois. Ach bhí an oiread sin spoirt ag Gearaí le Bilí anois nár mhiste leis nach raibh Seoirse agus Samaí ag teacht chomh minic is a bhíodh.

Lá amháin, d'fhiafraigh Gearaí de Bhilí cén scoil dara leibhéal a mbeadh seisean ag dul chuici.

Deir mo Mham go mbeidh mé ag dul ar an phobalscoil,' arsa Bilí.

'Mise freisin!' arsa Gearaí.

Bhí gliondar orthu beirt.

'Beimid in ann dul ar scoil le chéile,' a dúirt Gearaí. 'Beidh sé sin go hiontach ar fad. Yipí!'

Timpeall an ama sin, d'aithin Gearaí rud éigin an-aisteach. Ní bhíodh Hubert thart oiread agus ba ghnách leis tráth.

Thagadh sé isteach fós an chéad rud ar maidin chun 'heileo' a rá.

'Abh abh!' a deireadh sé.

'Heileo, a mhadaidh,' a deireadh Gearaí agus é ag cuimilt a bhoilg. Ach na laethanta seo, is minic a bhí deifir air dul amach chun bualadh le Bilí.

B'in é mar a bhí ar feadh tamaill. D'fheiceadh Gearaí Hubert ar maidin agus ní fheiceadh sé arís é go dtí an chéad lá eile.

Ansin, ag am luí oíche amháin, rith sé le Gearaí nach raibh Hubert feicthe aige le cúpla lá anuas.

'Níl a fhios agam an dtiocfaidh an t-am, b'fhéidir, nuair nach mbeidh Hubert ag teacht níos mó ...?' a dúirt sé leis féin.

Chuir an smaoineamh sin cumha ar Ghearaí. Ach bhí a fhios aige go raibh Hubert sásta go raibh cara nua ag Gearaí anois.

Sa deireadh, níor tháinig an madadh níos mó.

'Slán leat, a Hubert,' a dúirt Gearaí leis féin oíche amháin, 'agus go raibh maith agat. Ba tú an cara ab fhearr a bhí ag duine riamh. Slán leat!'

Dar leis nach bhfeicfeadh sé Hubert arís.

Tamall ina dhiaidh sin bhí Gearaí agus Bilí ag teacht ar ais ón scoil.

Stop siad ag na soilse tráchta. Bhí seanbhean ansin ag fanacht leis na soilse agus cad é a bhí aici ach madadh beag bán agus é ar iall aici. Bhí an madadh ag amharc suas ar Ghearaí agus a ruball á chroitheadh aige.

Chrom Gearaí síos chun é a shlíocadh. Bhí rud éigin aisteach faoin madadh. Dar leis go raibh na súile sin feicthe aige cheana. Chaoch an tarbhmhadadh súil leis. Phléasc Gearaí amach ag gáire.

'Cad é atá cearr leatsa?' a d'fhiafraigh Bilí. 'Cad chuige a bhfuil tú ag cromadh síos mar sin? Cad chuige a bhfuil tú ag gáire?'

'Tada!' arsa Gearaí. 'Tada ar chor ar bith! Seo linn, a Bhilí! Cuirfidh mé rás ort ar ais chun an bhaile!'

Agus rith siad leo.